Cuisine rapide
Cuisine minceur

Edition réalisée spécialement par SOGEMO
pour la Collection « Guides pratiques TOTAL »

Création couverture : Amazonie
Photo : VLOO
Illustrations : G. Yoldjoglou
M. Faizant

© SOGEMO

ISBN : 2.87787.005.7

Simone Colin

CUISINE RAPIDE
CUISINE MINCEUR

SOGEMO

SOMMAIRE

◆

CHAMPIGNONS
AU FROMAGE BLANC

Ingrédients pour 4 personnes :

1 échalote
100 g de fromage blanc 0 % M.G.
1 cuil. à café de vinaigre
2 cuil. à soupe d'huile
1 citron
500 g de champignons
1 gousse d'ail
Ciboulette
Cerfeuil
Sel
Poivre

CHAMPIGNONS
AU FROMAGE BLANC

——◆——

▶ Débarassez les champignons de leur pied terreux. Passez-les rapidement à l'eau courante, pour éliminez la terre et le sable qui pourraient y adhérer. Séchez-les sur du papier absorbant.

▶ Séparez les chapeaux des pieds, coupez-les en lamelles. Réservez, en prenant soin d'arroser d'un jus de citron pour empêcher les champignons de noircir.

▶ Épluchez l'échalote et l'ail, lavez un peu de ciboulette et de cerfeuil. Hachez finement ces quatre produits ensemble.

▶ Dans un saladier, délayez un peu de sel et de poivre dans la cuillerée de vinaigre, puis ajoutez la moutarde et le jus de 1/2 citron. Remuez bien, et versez l'huile en filet, en continuant de tourner. La sauce doit prendre une apparence crémeuse.

▶ Versez alors les champignons dans le saladier, mélangez avec la vinaigrette, puis ajoutez le fromage blanc légèrement battu au fouet et le hachis d'échalote, d'ail et d'herbes.

▶ Mélangez à nouveau délicatement le tout, et servez aussitôt.

COURGETTES EN SAUCE TOMATE

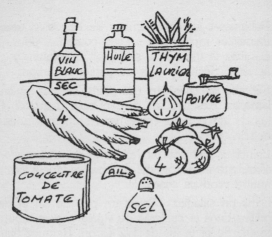

Ingrédients pour 5 à 6 personnes :

4 courgettes
4 tomates
1 oignon
1 gousse d'ail
1 verre de vin blanc sec
1 citron
1 noix de concentré de tomates
4 cuillerées à soupe d'huile
Thym, laurier, sel, poivre

Cuisson : 20 minutes

COURGETTES
EN SAUCE TOMATE

───────◆───────

▶ Pelez les courgettes, et détaillez-les en rondelles d'environ 1 cm d'épaisseur.

▶ Faites chauffer un peu d'huile dans une sauteuse, et mettez-y les courgettes à dorer sur feu moyen. Pendant ce temps, plongez les tomates quelques instants dans de l'eau bouillante, épluchez-les, et concassez-les grossièrement. Épluchez l'oignon et hachez-le finement.

▶ Quand les rondelles de courgettes ont pris couleur des deux côtés, ajoutez la purée de tomates fraîches, le hachis d'oignons, la gousse d'ail pilée. Mouillez avec le vin blanc dans lequel vous aurez délayé un peu de concentré de tomates, aromatisez d'un peu de thym et de laurier, salez, poivrez, et laissez mijoter à découvert 15 à 20 minutes.

▶ En fin de cuisson, ajoutez un jus de citron, puis versez le contenu de la sauteuse dans un plat de service creux. Laissez refroidir avant de servir.

FONDS D'ARTICHAUTS VINAIGRETTE

Ingrédients pour 4 personnes :

4 artichauts
4 tomates
4 œufs
Quelques feuilles de laitue
2 cuil. à café de moutarde
1 cuil. à soupe de vinaigre
3 cuil. à soupe d'huile
Ciboulette
Estragon
1 pointe de paprika
Sel
Poivre

cuisson : 40 minutes

FONDS D'ARTICHAUTS VINAIGRETTE

───◆───

▶ Faites cuire les artichauts 35 à 40 minutes à l'eau bouillante salée. Quand ils sont cuits, ôtez les feuilles et la « barbe » pour ne conserver que les cœurs.

▶ Faites durcir les œufs 12 à 15 minutes à l'eau bouillante. Écalez-les sous l'eau froide, et coupez-les en quartiers.

▶ Lavez les tomates, essuyez-les, et coupez-les en quartiers.

▶ Dans un grand bol, préparez une sauce vinaigrette comme suit : délayez la moutarde dans le vinaigre, salez, poivrez, puis ajoutez l'huile en tournant constamment à la cuillère. La sauce doit prendre un aspect crémeux.

▶ Disposez chaque fond d'artichaut au centre d'assiettes individuelles tapissées d'une belle feuille de laitue. Entourez-le de quartiers d'œufs et de tomates légèrement salés et poivrés, en alternant. Nappez légèrement de sauce les fonds d'artichauts et les quartiers de tomates, parsemez sur le tout un fin hachis d'estragon et de ciboulette, et servez.

FROMAGE BLANC
AUX HERBES

Ingrédients pour 4 personnes :

300 g de fromage blanc 0 % M.G.
4 feuilles d'épinards
Cerfeuil
Persil
Estragon
Ciboulette
2 cuil. à soupe de lait
1 gousse d'ail
Sel
Poivre

FROMAGE BLANC
AUX HERBES

◆

▶ Lavez soigneusement les feuilles d'épinard à plusieurs eaux, puis séchez-les dans un torchon. Roulez les feuilles ensemble, comme pour faire un cigare. Puis à l'aide d'un couteau bien aiguisé, détaillez ce rouleau très finement pour obtenir des petites lanières d'épinard.

▶ Lavez le cerfeuil, le persil et l'estragon. Séchez ces fines herbes et coupez-les menu à l'aide d'une paire de ciseaux.

▶ Lavez la ciboulette et hachez-la au couteau, sur une planchette de bois.

▶ Mettez le fromage blanc dans un saladier, ajoutez le lait. Salez, poivrez et battez le tout au fouet pour bien aérer le fromage.

▶ Incorporez alors les herbes, mélangez délicatement, et remplissez de cette préparation de petites terrines individuelles.

▶ Placez les terrines au réfrigérateur une vingtaine de minutes avant de servir. Cette petite entrée, extrêmement légère se déguste à la petite cuillère.

LAITUE AUX FRUITS DE MER

Ingrédients pour 4 à 5 personnes :

1 belle laitue
500 g de moules
1 sachet de crevettes
2 échalotes
1/2 verre de vinaigre
1 bouquet de cerfeuil
4 cuil. d'huile
1 citron
Thym
Laurier
Sel
Poivre

cuisson : 10 minutes

LAITUE AUX FRUITS DE MER

▶ Préparez un court-bouillon dans un faitout avec 2 verres d'eau, le vinaigre, les échalottes hachées. Aromatisez d'un bouquet garni, poivrez, et laissez frémir quelques minutes à découvert.

▶ Triez les moules, lavez-les, et jetez-les dans le court-bouillon.

▶ Couvrez le récipient, et attendez 3 à 4 minutes, sur feu vif, le temps pour les moules de s'ouvrir. Otez les moules des coquilles.

▶ Réservez.

▶ Otez les feuilles jaunies ou abîmées qui entourent la laitue, lavez soigneusement la salade, égouttez-la, et mettez-la à sécher dans un torchon.

▶ Pressez un jus de citron dans un grand saladier, salez légèrement, et ajoutez l'huile en tournant constamment de façon à obtenir une sauce bien liée.

▶ Disposez dans le saladier les feuilles de laitue, les moules et le contenu du sachet de crevettes décortiquées. Mélangez bien le tout. Ciselez un petit bouquet de cerfeuil sur la salade avant de servir.

MOULES A L'OSEILLE

Ingrédients pour 4 personnes :

1,5 kg de moules
150 g d'oseille
1 noix de beurre
1 verre de vin blanc sec
Cerfeuil
Ciboulette
Poivre

Cuisson : 15 minutes

MOULES A L'OSEILLE

◆

- ▶ Lavez soigneusement les feuilles d'oseille, éliminez le plus gros des queues, séchez le légume dans un torchon, et hachez-le grossièrement.

- ▶ Faites fondre 1 belle noix de beurre dans une cocotte, et mettez-y le hachis d'oseille à suer quelques minutes sur feu très doux.

- ▶ Lavez les moules, triez-les, et éliminez les coquillages non fermés.

- ▶ Quand l'oseille a sué convenablement, mouillez avec le vin blanc, portez à ébullition, poivrez, et jetez les moules dans le récipient. Couvrez, et laissez 3 à 4 minutes sur feu vif, le temps pour les coquillages de s'ouvrir.

- ▶ Versez cette préparation dans un grand plat creux, parsemez le tout d'un fin hachis de cerfeuil et de ciboulette, et déguster aussitôt.

MOUSSE DE JAMBON EN GELÉE

Ingrédients pour 6 personnes :

1 carotte
6 tranches de jambon
2 cuil. à soupe de lait écrémé
1 sachet de gelée instantanée
1 pincée d'estragon
Persil
Ciboulette
1 cœur de laitue
2 tomates
50 g d'olives noires et vertes
Quelques cornichons
Sel
Poivre

MOUSSE DE JAMBON EN GELÉE

◆

► Épluchez la carotte, et coupez-la en fines rondelles. Fendez quelques cornichons en lamelles.

► Lavez un peu de persil et de ciboulette, et hachez-les finement ensemble.

► Passez les tranches de jambon au mixer, ajoutez le lait, le hachis d'herbes, salez et poivrez légèrement. Remuez soigneusement la préparation.

► Préparez le gelée en vous conformant aux instructions portées sur le sachet, et coulez-en un peu pour napper le fond et les parois de petits moules individuels. Disposez au fond, en décor, une ou deux rondelles de carotte et quelques lamelles de cornichon, et placez les moules qualques instants au réfrigérateur afin que la gelée prenne consistance.

► Répartissez ensuite la mousse de jambon dans les moules, et recouvrez du reste de gelée (que vous aurez maintenue liquide au bain-marie, sur feu très doux). Placez à nouveau les moules au réfrigérateur.

► Au moment de servir, tapissez un plat de service de feuilles de laitue, disposez les petites timbales de mousse après les avoir démoulées, et décorez-les avec des quartiers de tomates et des olives vertes et noires.

SALADE ANDALOUSE

Ingrédients pour 6 personnes :

150 g de riz
2 poivrons, 2 tomates, 50 g d'olives noires
50 g d'olives vertes farcies
1 boîte de queues de langoustines, 2 œufs
1 cœur de laitue
2 cuillerées à café de moutarde
3 cuillerées à soupe de vinaigre
6 cuillerées à soupe d'huile d'olive
2 gousses d'ail, 1 gros oignon blanc
Sel, poivre

SALADE ANDALOUSE

- ▶ Faites bouillir une grande casserole d'eau salée.
- ▶ Lavez le riz à l'eau froide, et jetez-le dans l'eau bouillante. Laissez-le cuire de 15 à 20 minutes, en fonction de la variété, puis égouttez-le dans une passoire après l'avoir passé sous l'eau froide.
- ▶ Passez les poivrons à la flamme, ou sous le gril, pour en griller la peau, puis ôtez la fine pellicule qui les recouvre. Ouvrez-les, épépinez-les, et taillez-les en lanières.
- ▶ Lavez la laitue, égouttez les feuilles, et séchez-les dans un torchon.
- ▶ Ouvrez la boîte de queues de langoustines, égouttez-les. Faites durcir les œufs 10 à 12 minutes à l'eau bouillante.
- ▶ Dans un grand saladier, mettez le riz, les poivrons, les tomates coupées en quartiers, les feuilles de laitue, les langoustines, et les œufs durs coupés en rondelles. Ajoutez-y l'oignon et l'ail hachés, les olives, mêlez le tout délicatement.
- ▶ Dans un bol, confectionnez une vinaigrette comme suit : délayez la moutarde dans le vinaigre, salez et poivrez. Versez ensuite l'huile par cuillerée, en tourant bien entre chacune.
- ▶ La sauce doit avoir un aspect crémeux.
- ▶ Versez la vinaigrette sur la salade, remuez et servez.

SALADE D'ENDIVES
AU MAIGRE

Ingrédients pour 4 à 5 personnes :

5 endives
1 pomme
6 noix
30 g de gruyère
3 petits suisses 0 % M.G.
3 cuil. à soupe de lait écrémé
1 pointe de paprika
Sel
Poivre

SALADE D'ENDIVES
AU MAIGRE

▶ Coupez le pied des endives au ras, éliminez les feuilles brunâtres ou flétries qui recouvrent les légumes, et lavez-les en les passant à l'eau courante. Essuyez-les en les pressant dans un torchon.

▶ Fendez les en quatre au trois quarts en partant du sommet, et débitez-les en tronçons.

▶ Pelez la pomme, coupez-la en quatre, et débarrassez-les du cœur et des pépins. Puis détaillez les quartiers en fines lamelles.

▶ Cassez quelques noix, dégagez les cerneaux, et pilez-en la chair grossièrement.

▶ Coupez un morceau de gruyère en très petits dés.

▶ Mettez les petits suisses dans un saladier, et mélangez-les au fouet avec le lait écrémé. Salez, poivrez, ajoutez une bonne pointe de paprika.

▶ Versez dans le saladier les divers ingrédients de la salade, et mélangez-les bien avec les petits suisses. Servez aussitôt.

SALADE HENRIETTE

Ingrédients pour 4 personnes :

2 pommes
1 botte de cresson
1 blanc de poulet cuit
50 g de gruyère
1 jus de citron
2 cuil. à soupe d'huile
Ciboulette
Cerfeuil
1 oignon
1 cuil. à café de moutarde
Sel, poivre

SALADE HENRIETTE

▶ Éliminez le plus gros des queues de cresson, ainsi que les feuilles jaunies, et lavez la salade dans une bassine, à plusieurs eaux. Puis égouttez-la et mettez-la sécher dans un torchon.

▶ Épluchez les pommes, coupez-les en quartiers, ôtez le cœur et les pépins. Puis détaillez les fruits en minces lamelles.

▶ Coupez le gruyère en petits cubes, le blanc de poulet en menus morceaux.

▶ Pelez l'oignon, coupez-le en fines tranches. Lavez la ciboulette et le cerfeuil. Hachez-les ensemble.

▶ Dans un saladier, délayez la moutarde dans le jus de citron, salez et poivrez. Puis ajoutez un peu d'huile en tournant constamment, jusqu'à ce que la sauce prenne une consistance crémeuse.

▶ Mettez alors le cresson, remuez, puis le fromage, le poulet, les pommes. Ajoutez le hachis d'herbes, mêlez soigneusement le tout. Décorez la surface avec les rondelles de citron.

SALADE MARIA

Ingrédients pour 4 à 5 personnes :

2 navets
150 g de champignons
1 betterave cuite
150 g de haricots verts
1 échalote
2 cuil. à café de moutarde
1 cuil. à soupe de vinaigre
3 cuil. à soupe d'huile tournesol
Sel
Poivre

cuisson : 20 minutes

SALADE MARIA

- ▶ Préparez les haricots verts, lavez-les soigneusement, et mettez-les à cuire 15 minutes dans de l'eau bouillante salée.

- ▶ Épluchez les navets, coupez-les en bâtonnets, et mettez-les également à cuire 15 minutes à l'eau salée.

- ▶ Lorsque ces légumes sont cuits, égouttez-les, passez-les à l'eau froide. Laissez-les refroidir.

- ▶ Débarassez les champignons de leur pied terreux, lavez-les en les passant rapidement à l'eau courante. Séchez-les sur du papier absorbant, puis détaillez-les en fines lamelles.

- ▶ Épluchez la betterave, et coupez-la en petits dés.

- ▶ Confectionnez une vinaigrette dans un saladier en mélangeant d'abord la moutarde et le vinaigre, salez et poivrez, puis versez l'huile en tournant constamment. Ajoutez à la sauce l'échalote finement hachée.

- ▶ Mettez dans le saladier les haricots verts, les navets, les champignons, et la betterave rouge. Mélangez délicatement le tout au moment de servir.

SALADE MONTPENSIER

Ingrédients pour 5 à 6 personnes :

50 g de roquefort
1/2 chou blanc
1/2 chou-fleur
1 oignon
1 échalote
3 tranches de jambon
1 cuil. à café de moutarde
1 cuil. à soupe de vinaigre
3 cuil. à soupe d'huile de tournesol

SALADE MONTPENSIER

——◆——

▶ Otez du chou le trognon et la partie fibreuse centrale, et lavez les feuilles dans de l'eau additionnée d'un peu de vinaigre. Séchez les feuilles dans un torchon, et détaillez-les en fines lanières.

▶ Détachez du chou-fleur cru des petits bouquets. Lavez-les soigneusement à l'eau courante, et séchez-les dans un torchon.

▶ Épluchez l'oignon et détaillez-le en fines rouelles.

▶ Roulez les 3 tranches de jambon après avoir ôté la couenne et le gras, et coupez-les en lanières.

▶ Dans un bol, écrasez le roquefort à la fourchette, ajoutez la moutarde, le vinaigre, salez et poivrez. Mélangez bien le tout. Puis toujours en tournant, ajoutez l'huile en mince filet jusqu'à obtenir une sauce onctueuse et parfaitement liée.

▶ Dans un grand saladier, mettez le chou, le chou-fleur, et le jambon. Ajoutez l'échalote hachée, et versez la vinaigrette au roquefort dessus. Mêlez délicatement le tout, et décorez la salade de tranches d'oignon.

SALADE A LA MOUTOT

Ingrédients pour 4 personnes :

1 beau merlan
2 pommes
1/2 verre de riz
150 g de mâche
1 jus de citron
2 cuil. à café de moutarde
4 cuil. à soupe huile de tournesol
Ciboulette
Persil
1 échalotte
Sel
Poivre

cuisson : 5 minutes

SALADE A LA MOUTOT

◆

▶ Videz et lavez le poisson, et mettez-le à cuire 5 minutes dans un peu d'eau salée. Le liquide doit frémir sans bouillir.

▶ Lorsque le poisson est cuit, égouttez-le, ôtez la peau, et lavez les filets. Emiettez-les.

▶ Mettez le riz à cuire dans une casserole dans 2 fois 1/2 son volume d'eau bouillante salée, 15 à 20 minutes, en fonction de la variété utilisée.

▶ Épluchez les pommes, coupez-les en quatre, retirez le cœur et les pépins. Râpez les quartiers avec une râpe à gros trous.

▶ Coupez la base des pieds de mâche, triez les feuilles une à une en éliminant celles qui sont abîmées ou flétries. Lavez les feuilles à deux ou trois eaux différentes pour qu'il ne subsiste aucune trace de terre. Séchez la mâche dans un torchon.

▶ Dans un grand saladier, préparez une sauce comme suit : délayez la moutarde dans le jus de citron, salez et poivrez, puis versez l'huile en tournant constamment. La sauce doit devenir crémeuse.

▶ Lavez un peu de ciboulette et de persil, pelez l'échalote, et hachez ensemble ces trois ingrédients. Ajoutez-les à la sauce.

▶ Mettez dans le saladier la mâche, le riz, le poisson émietté, les pommes râpées. Mêlez délicatement le tout avant de servir.

SALADE REINE BLANCHE

Ingrédients pour 4 personnes :

1 pomme
1 cœur de chou rouge
1 petite boîte de crabe
150 g de fromage blanc sans M.G.
1 cuil. à soupe de lait écrémé
2 œufs
1/2 citron
1 pointe de paprika
Persil
Ciboulette
Sel
Poivre

cuisson : 15 minutes

SALADE REINE BLANCHE

———— ◆ ————

▶ Otez les feuilles extérieures du chou pour n'en conserver que le cœur. Coupez le cœur en deux, et, à l'aide d'un couteau bien aiguisé, détaillez chaque moitié en fines lanières.

▶ Épluchez la pomme, coupez-la en quartiers, retirez le cœur et les pépins, et débitez les quartiers en lamelles. Arrosez-les d'un jus de citron.

▶ Faites durcir les œufs 15 minutes à l'eau bouillante, puis écalez-les sous l'eau froide.

▶ Égouttez le contenu de la boîte de crabe, et veillez à ce qu'il ne subsiste aucun morceau de cartilage.

▶ Mettez le fromage blanc dans une terrine, ajoutez la cuillerée de lait, la pointe de paprika, un peu de persil et de ciboulette hachés, salez, poivrez, et battez le tout à la fourchette pour obtenir un mélange aéré.

▶ Mettez dans un saladier le chou, la pomme, et le crabe. Versez le mélange au fromage blanc, et mélangez délicatement le tout.

▶ Coupez les œufs durs en rondelles, salez et poivrez-les, et décorezen le dessus de la salade avant de servir.

SALADE TIVOLI

Ingrédients pour 6 personnes :

1 laitue
2 tomates
1 boîte de macédoine de légumes
3 pommes
250 g de filets de cabillaud
1 citron
2 cuil. à café de moutarde
1 dl d'huile, 100 g de crème fraîche allégée
1 jaune d'œuf
Sel, poivre

Cuisson : 5 minutes

SALADE TIVOLI

◆

▶ Lavez les filets de cabillaud et faites-les cuire
5 minutes à l'eau salée. Le liquide doit frémir
sans bouillir. Puis égouttez le poisson, ôtez les
éventuelles arêtes qui pourraient demeurer en
émiettant les filets.

▶ Épluchez les pommes, coupez-les en quatre,
enlevez le cœur et les pépins. Détaillez les
quartiers en fines lamelles.

▶ Lavez le cœur de la laitue, détachez-les feuilles et
séchez-les dans un torchon.

▶ Coupez les tomates en quartiers. Salez-les.

▶ Ouvrez la boîte de macédoine de légumes.
Égouttez la macédoine, après l'avoir passée à
l'eau. Puis mettez-la à sécher sur un torchon.

▶ Confectionnez une mayonnaise comme suit :
mettez le jaune d'œuf dans un grand bol. Ajoutez
la moutarde, salez et poivrez. Versez ensuite l'huile
en filet mince, en tournant constamment, à la
cuillère ou au fouet. Incorporez la crème fraîche
en fin d'opération, puis le jus du citron.

▶ Tapissez un grand saladier des feuilles de laitue.
puis versez la macédoine, les lamelles de pommes,
le poisson, et les quartiers de tomates. Coulez
dessus la mayonnaise à la crème fraîche. Mélangez
délicatement le tout, et placez quelques instants
au réfrigérateur avant de servir.

SALADE VALLIER

Ingrédients pour 4 à 5 personnes :

5 endives
4 branches de céleri
1 œuf
2 tranches de jambon
40 g de roquefort
1 yaourt
1 cuil. à soupe de vinaigre
Ciboulette
Quelques feuilles d'estragon
Sel
Poivre

SALADE VALLIER

▶ Faites durcir un œuf 12 à 15 minutes à l'eau bouillante. Écalez-le sous l'eau froide.

▶ Coupez le trognon des endives, éliminez les feuilles abîmées ou flétries de dessus, et passez les endives rapidement à l'eau courante. Séchez-les en les pressant dans un torchon.

▶ Épluchez soigneusement les branches de céleri pour bien ôter les parties filandreuses. Détaillez-les en petits tronçons.

▶ Roulez les 2 tranches de jambon, et coupez-les en fines lanières.

▶ Écrasez le roquefort à la fourchette, et mélangez-le avec 1 cuillerée de vinaigre. Versez le yaourt, salez, poivrez, remuez le tout.

▶ Mettez dans le saladier les endives fendues en quatre puis coupées en tronçons, le céleri, le jambon en lanières. Hachez sur le tout un peu de ciboulette et 3 ou 4 feuilles fraîches d'estragon.

▶ Mélangez bien le tout, et décorez le dessus de la salade avec l'œuf passé à la moulinette.

SALADE VERTE AU GRUYÈRE ET AU POULET

Ingrédients pour 4 à 5 personnes :

1 scarole
1 blanc de poulet
50 g de gruyère
1 branche de céleri
1 œuf
1 échalote
1 petit bouquet de cerfeuil
2 cuil. à café de moutarde
1 cuil. à soupe de vinaigre
4 cuil. à soupe d'huile
Sel
Poivre

cuisson : 20 minutes

SALADE VERTE AU GRUYÈRE ET AU POULET

◆

▶ Faites chauffer 1 cuillerée d'huile dans une petite casserole, et mettez-y à dorer le blanc de poulet. Puis mouillez avec un peu d'eau et laissez cuire 20 minutes à couvert.

▶ Faites durcir l'œuf 12 à 15 minutes à l'eau bouillante.

▶ Lavez la scarole à plusieurs eaux, égouttez-la, et séchez les feuilles dans un torchon.

▶ Épluchez soigneusement la branche de céleri, et coupez-la en petits tronçons.

▶ Découpez le gruyère en fines lamelles.

▶ Dans un saladier, confectionnez une vinaigrette en délayant la moutarde dans le vinaigre. Salez, poivrez, et versez l'huile en tournant constamment à la cuillère. Ecrasez le jaune de l'œuf dur dans la sauce (le blanc ne sert pas), ajoutez l'échalote finement hachée, ciselez un petit bouquet de cerfeuil. Remuez bien le tout.

▶ Mettez dans le saladier les feuilles de scarole, le gruyère en lamelles, le céleri, le blanc de poulet voupé menu. Mélangez au moment de servir.

SALADE DU VIGNERON

Ingrédients pour 4 à 5 personnes :

150 g de champignons
1/2 botte de cresson
1 sachet de crevettes décortiquées
1 grappe de raisin blanc
1 citron
100 g de fromage blanc 0 % M.G.
1 œuf
1 petit bouquet de persil
1 pointe de paprika
Sel
Poivre

SALADE DU VIGNERON

◆

▶ Coupez le cresson au ras des feuilles afin d'éliminer les grosses tiges. Triez les feuilles et jetez celles qui sont flétries ou jaunies. Lavez le cresson à plusieurs eaux, égouttez, et séchez la salade dans un torchon.

▶ Débarassez les champignons de leur pied terreux, lavez-les en les passant rapidement à l'eau courante, séchez-les sur du papier absorbant. Détaillez-les en lamelles.

▶ Faire durcir 1 œuf 12 à 15 minutes à l'eau bouillante. Puis écalez-le sous l'eau froide.

▶ Lavez soigneusement le raisin blanc, et égrenez-le.

▶ Mettez le fromage blanc dans un grand saladier, battez-le à la fourchette, et incorporez-lui 1 jus de citron. Ajoutez 1 petit bouquet de persil haché, 1 bonne pointe de paprika. Salez et poivrez légèrement.

▶ Mettez dans le saladier le cresson, les champignons, les grains de raisin, les crevettes décortiquées. Mélangez bien le tout et passez sur la salade, avant de servir, l'œuf dur à la moulinette.

TOMATES AU RIZ
ET AUX CREVETTES

Ingrédients pour 4 personnes :

4 belles tomates
2 œufs, 1 sachet de crevettes décortiquées
125 g de riz
2 cuillerées à soupe d'huile d'olive
1 citron, 1 oignon
2 gousses d'ail
1 branche de persil
Quelques olives noires
Sel, poivre

Cuisson : 20 minutes

TOMATES AU RIZ
ET AUX CREVETTES

▶ Lavez les tomates à l'eau courante, essuyez-les avec un torchon et découpez un large chapeau côté queue. Puis, à l'aide d'un petit couteau, évidez-les en ayant soin de ne pas abîmer la peau. Conservez la pulpe que vous écraserez en purée.

▶ Faites chauffer l'huile dans une casserole, et mettez-y à blondir l'oignon finement haché quelques instants. Puis jetez le riz, remuez 2 à 3 minutes à la cuillère de bois jusqu'à ce qu'il prenne légèrement couleur. Mouillez alors avec 2 bons verres d'eau, salez, poivrez et laissez cuire doucement une vingtaine de minutes.

▶ Pendant ce temps, faites cuire deux œufs à l'eau bouillante 15 minutes.

▶ Quand le riz est cuit (il doit avoir absorbé toute l'eau), laissez refroidir, puis ajoutez-lui les jaunes d'œufs écrasés à la fourchette, le contenu du sachet de crevettes décortiquées, la pulpe de tomates, les gousses d'ail pilées, et un peu de persil haché. Agrémentez de quelques lamelles d'olives noires, arrosez le tout d'un jus de citron, et remuez soigneusement la préparation.

▶ Salez et poivrez l'intérieur des tomates évidées, et emplissez-les de cette garniture. Servez aussitôt.

BARBUE A L'OSEILLE

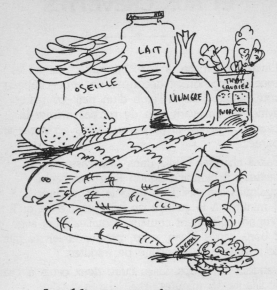

Ingrédients pour 4 personnes :

1 barbue de 1,2 kg
1 kg d'oseille
1/2 verre de lait écrémé
2 oignons
3 carottes
3 cuillerées à soupe de vinaigre
Thym
Laurier
Persil
Poivre
Sel
2 citrons

cuisson : 50 minutes

BARBUE A L'OSEILLE

▶ Épluchez et couper en rondelles les carottes et les oignons. Laver un peu de persil. Hachez-le grossièrement.

▶ Préparer le court-bouillon : dans un grand récipient, pouvant contenir la barbue, ajouter dans environ deux litres d'eau les carottes, oignons, le persil, vinaigre, un peu de thym et de laurier. Salez (au gros sel de préférence), poivrez. Laissez réduire à feux moyen 1/2 heure environ.

▶ Durant ce temps, lavez avec soin les feuilles d'oseille, en les passant dans plusieurs eaux. Enlevez les queues et les grosses côtes.

▶ Plongez les feuilles d'oseille dans une grande casserole d'eau bouillante salée, et laissez cuire 5 minutes.

▶ Quand l'oseille est cuite, égouttez-la soigneusement dans une passoire en la pressant, puis passez-la à la moulinette.

▶ Versez cette purée avec le lait dans une casserole. Mélangez bien sur feu très doux. Réservez.

▶ Dans le court-bouillon tiède, couchez la barbue et, à feu moyen, amenez progressivement le liquide à un léger frémissement. Laissez cuire une vingtaine de minutes.

▶ Sortez alors délicatement le poisson, disposez-le sur un plat de service chaud, et entourez-le de la purée d'oseille légèrement réchauffée. Décorez avec des quartiers de citron.

BŒUF FROID A LA DUVAL

Ingrédients pour 4 personnes :

400 g de bœuf cuit
8 carottes
6 navets
4 cornichons
4 œufs durs
Ciboulette
Estragon
Persil
2 cuil. à café de moutarde
1 cuil. à soupe de vinaigre
3 cuil. à soupe d'huile de tournesol
Sel, poivre

cuisson : 20 minutes

BŒUF FROID A LA DUVAL

◆

- ▶ Épluchez les carottes et les navets. Coupez les carottes en tranches épaisses et les navets en huit. Faites-les cuire 20 minutes à l'eau bouillante salée. Puis égouttez et laissez refroidir.

- ▶ Confectionnez des œufs durs en les faisant cuire à l'eau bouillante 12 à 15 minutes.

- ▶ Lavez le persil, l'estragon, et la ciboulette, et hachez finement ces trois herbes ensemble.

- ▶ Dans un grand saladier, préparez une vinaigrette comme suit : délayez la moutarde dans 1 bonne cuillerée à soupe de vinaigre, salez et poivrez, puis ajoutez l'huile en petit filet en tournant constamment. La vinaigrette doit prendre une consistance crémeuse.

- ▶ Mettez dans le saladier, le bœuf coupé en petits dés, le hachis d'herbes, et les cornichons coupés en rondelles. Remuez le tout, puis ajoutez les carottes et navets. Remuez à nouveau délicatement. Décorez le dessus de la préparation avec les œufs durs coupés en quatre, avant de servir.

BROCHETTES D'AGNEAU AUX HERBES

Ingrédients pour 4 personnes :

1 beau poivron
500 g de filet d'agneau
2 oignons moyens
12 champignons moyens
1/2 verre d'huile
Thym, laurier
Sel
Poivre

cuisson : 15 minutes

BROCHETTES D'AGNEAU
AUX HERBES

◆

▶ Otez le pied des champignons pour ne conserver que les chapeaux, lavez-les à l'eau courante, et mettez-les à sécher sur du papier absorbant.

▶ Lavez 1 beau poivron, essuyez-le, fendez-le en deux, éliminez la queue et les pépins, et coupez chaque demi-poivron en carrés.

▶ Épluchez les oignons, et coupez-les en quartiers.

▶ Coupez le morceau de filet en cubes, mettez la viande dans un saladier, salez, poivrez, et ajoutez tous les ingrédients précédents. Émiettez sur le tout un peu de thym et de laurier, versez 1/2 verre d'huile, et mélangez délicatement le tout. Laissez macérer quelques instants.

▶ Confectionnez les brochettes en enfilant alternativement morceaux de viande et de légumes, et mettez à cuire au barbecue ou sous le gril de 10 à 15 minutes en fonction du degré de cuisson désiré.

BROCHETTES DE CONGRE EN SAUCE FORTE

Ingrédients pour 4 personnes :

600 g de congre
1 verre de vin blanc
1 carotte, 1 oignon
8 champignons de Paris
1 beau poivron
4 tomates, 2 citrons
1 cuil. à soupe de moutarde
1 cuil. à soupe d'huile
Persil, ciboulette
Sel, poivre

cuisson : 25 minutes env.

BROCHETTES DE CONGRE EN SAUCE FORTE

---◆---

▶ Otez la peau et l'arête centrale du morceau de congre, et detaillez la chair en gros cubes.

▶ Préparez un court-bouillon avec le verre de vin blanc, 1 verre d'eau, la carotte et l'oignon coupés en fines rondelles. Salez, poivrez, et laissez le liquide frémir une dizaine de minutes.

▶ Lavez les tomates, essuyez-les avec un torchon, coupez-les en deux, et salez-les au sel fin.

▶ Lavez le poivron, ôtez la queue et les pépins, et détaillez-le en carrés.

▶ Détachez les chapeaux des champignons, passez-les sous l'eau courante, séchez-les sur du papier absorbant.

▶ Plongez les cubes de poisson dans le court-bouillon tiède, portez à ébulition, et retirez du feu. Égouttez.

▶ Enfilez sur les brochettes, en répartissant au mieux, et en alternant, les cubes de congre, les demi-tomates, les carrés de poivrons, les champignons. Huilez légèrement et mettez au four sous le gril, 7 à 8 minutes, en tournant les brochettes à mi-cuisson.

▶ Pendant ce temps, pressez le jus des citrons, mélangez avec la moutarde, et ajoutez à la sauce un peu de sel et poivre et un fin hachis de persil et de ciboulette.

▶ Quand les brochettes sont cuites, disposez-les sur un plat de service, et nappez-les de la sauce. Servez immédiatement.

CARRÉ D'AGNEAU AUX COURGETTES

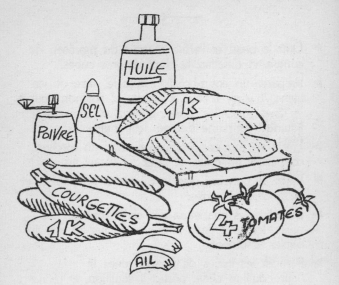

Ingrédients pour 4 personnes :

1 carré d'agneau de 1 kg
1 kg de courgettes
4 belles tomates
5 cuillerées à soupe d'huile
Thym
Laurier
2 gousses d'ail
Sel
Poivre

Cuisson : 30 à 40 minutes

CARRÉ D'AGNEAU
AUX COURGETTES

- ► Épluchez les courgettes, et mettez-les à blanchir 2 minutes à l'eau bouillante salée.

- ► Passé ce temps, égouttez les légumes, et coupez-les en tranches dans le sens de la longueur.

- ► Plongez les tomates quelques instants dans de l'eau bouillante pelez-les, et concassez-les grossièrement.

- ► Divisez les gousses d'ail en éclats, et piquez-en le carré en divers endroits. Salez la viande, poivrez-la, et frottez-la d'un peu de thym et de laurier émiettés.

- ► Versez la purée de tomates fraîches dans le fond d'un plat allant au four, arrosez avec l'huile, salez, disposez le carré d'agneau au centre du plat, et entourez la viande des courgettes. Mettez à cuire à four très chaud de 30 à 40 minutes (en fonction de degré de cuisson désiré de la viande). Servez dans le plat de cuisson.

CONTRE-FILET RÔTI
AUX LÉGUMES

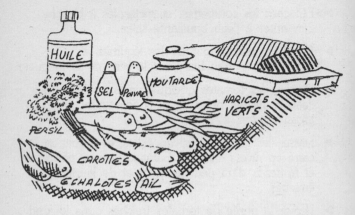

Ingrédients pour 5 à 6 personnes :

1,2 kg de contre-filet
500 g de carottes
500 g de haricots verts
2 échalotes
1 gousse d'ail
1 bouquet de persil
1 cuil. à café d'huile
1 cuil. à soupe de moutarde
Sel
Poivre

Cuisson : 40 minutes env.

CONTRE-FILET RÔTI
AUX LÉGUMES

▶ Coupez les extrémités des haricots verts, ôtez les fils s'il y a lieu, et lavez les légumes dans une bassine, à deux ou trois eaux différentes.

▶ Pelez les carottes, fendez-les en quatre, et mettez-les à cuire à l'eau bouillante salée pendant 35 minutes.

▶ Faites cuire les haricots verts à part, 15 à 20 minutes selon leur finesse, le récipient découvert.

▶ Disposez le contre-filet dans un plat allant au four, piquez-le en divers endroits avec des éclats de gousse d'ail, enduisez-le d'un peu d'huile et mettez-le à four très chaud 25 à 35 minutes, selon que vous aimez la viande bleue, saignante, ou à point.

▶ Lorsque le contre-filet est cuit, dressez-le sur un grand plat de service, salez et poivrez-le, et versez 1 bon verre d'eau dans le plat de cuisson.

▶ Grattez soigneusement le fond à la cuillère de bois pour bien décoller les sucs de cuisson, et incorporez à la sauce 1 cuillerée de moutarde.

▶ Découpez la viande en tranches de moyenne épaisseur, disposez tout autour, en alternant, les carottes et les haricots verts égouttés, en les parsemant d'un hachis d'échalotes et de persil. Nappez la viande avec la sauce moutarde, et servez aussitôt.

COQUILLES DE POISSON EN SAUCE VERTE

Ingrédients pour 4 personnes :

400 g de filets de poisson
2 carottes, 1 oignon, 1 gousse d'ail
2 petites tomates
4 belles feuilles de laitue, 1, œuf
2 cuillerées à café de moutarde
4 cuillerées à soupe de vinaigre
3 cuillerées à soupe d'huile
Persil, ciboulette, thym, laurier
4 coquilles saint-jacques vides
Sel, poivre

Cuisson : 15 minutes

COQUILLES DE POISSON
EN SAUCE VERTE

▶ Préparez un court-bouillon en mettant dans une casserole d'eau salée les carottes et oignons épluchés et coupés en rondelles et oignons épluchés et coupés en rondelles, l'ail haché, un peu de thym et de laurier, 3 cuillerées à soupe de vinaigre. Poivrez, et laissez frémir le liquide une dizaine de minutes à découvert.

▶ Lavez les feuilles de laitue et séchez-les à l'aide d'un torchon. lavez les tomates et coupez-les en fins quartiers.

▶ Faites durcir l'œuf 12 à 15 minutes à l'eau bouillante. Écalez-le sous l'eau froide, et découpez 4 belles rondelles.

▶ Lavez les filets de poisson et plongez-les dans le court-bouillon. Laissez cuire à feu doux 6 à 7 minutes. Puis sortez le poisson du liquide et laissez refroidir.

▶ Tapissez les coquilles saint-jacques d'une feuille de laitue, disposez au centre le poisson en petits morceaux surmonté d'une rondelle d'œuf, et entourez le tout de petits quartiers de tomates.

▶ Confectionnez une vinaigrette avec la moutarde, 1 cuillerée de vinaigre, 3 cuillerées d'huile, un peu de sel et de poivre. Lorsque la sauce a pris une consistance crémeuse, incorporez une bonne quantité de ciboulette et de persil hachés, et nappez-en les coquilles. Placez quelques instants au réfrigérateur avant de servir.

DARNES DE CABILLAUD
A LA MOUTARDE

Ingrédients pour 4 personnes :

600 g de cabillaud
1 verre de vin blanc sec
1 cuillerée à soupe de moutarde
1 oignon, 1 carotte
1 branche de céleri
1 cuillerée à soupe d'huile
1 pincée d'estragon en poudre
1 feuille de laurier, 1 branche de cerfeuil
Sel, poivre

Cuisson : 20 minutes

DARNES DE CABILLAUD
A LA MOUTARDE

◆

► Lavez les tranches de cabillaud, séchez-les, salez et poivrez-les.

► Mélangez dans un bol la moutarde forte avec un peu d'huile. Ajoutez une pincée d'estragon et une feuille de laurier émiettée, et enduisez les tranches de poissons de cette préparation.

► Rangez le cabillaud dans un plat allant au four, ajoutez l'oignon et la carotte finement coupés en rondelles, la branche de céleri épluchée et hachée grossièrement, et mouillez d'un bon verre de vin blanc sec. mettez à cuire à four moyen 20 minutes.

► Quand le poisson est cuit, saupoudrez la préparation d'un fin hachis de cerfeuil, et servez dans le plat de cuisson.

DARNES DE COLIN GRILLÉES
AUX ENDIVES

Ingrédients pour 4 personnes :

4 tranches de colin
3 cuillerées à soupe d'huile
2 citrons
Persil
8 endives moyennes
Estragon
Thym
Laurier
Sel
Poivre

cuisson : 1/2 heure

DARNES DE COLIN GRILLÉES AUX ENDIVES

▶ Placez les darnes (tranches) de colin dans un plat creux et arrosez-les du jus des citrons et des 3 cuillerées à soupe d'huile. Ajoutez quelques brins de thym et une feuille de laurier brisée menu. Salez, poivrez. Laisser le poisson mariner 1 heure environ en retournant les tranches de temps en temps.

▶ Pendant ce temps, coupez les bouts de chaque pied d'endive, enlevez les feuilles flétries, et lavez-les. Plongez-les dans de l'eau bouillante salée, et laissez-les cuire environ 1/4 d'heure. Passé ce temps, sortez les endives de l'eau, égouttez-les, et réservez.

▶ Sortez les tranches de colin de la marinade, égouttez-les et disposez-les sur la grille de votre four. Allumez le gril et faites griller environ 5 minutes de chaque côté.

▶ Placez alors votre poisson dans un plat long allant au four, et entourez les darnes avec les endives fendues en deux, dans le sens de la longueur.

▶ Arrosez poisson et légumes avec la marinade au citron, et remettez à four chaud quelques minutes. Avant de présenter le plat à table, ciselez sur les darnes, un peu de persil et d'estragon.

ÉPAULE D'AGNEAU
AUX LÉGUMES DU JARDIN

Ingrédients pour 4 à 5 personnes :

1 épaule de 1,5 kg
1/2 chou-fleur
300 g de carottes
100 g de navets
500 g de haricots verts
3 gousses d'ail
Thym, laurier
Sel, poivre

Cuisson : 1 heure

ÉPAULE D'AGNEAU
AUX LÉGUMES DU JARDIN

◆

▶ Épluchez les gousses d'ail, divisez-les en éclats et, en vous servant d'un petit couteau pointu, piquez l'épaule d'ail. Salez, poivrez la viande, et émiettez un peu de thym et de laurier. Mettez à cuire 1 h à four chaud dans un récipient creux dans lequel vous aurez versé préalablement 1 verre d'eau chaude. Arrosez la viande de temps en temps du jus de cuisson. Ajoutez un peu d'eau en cours de cuisson si, du fait de l'évaporation, il venait à en manquer.

▶ Pendant ce temps, épluchez les carottes et les navets, divisez le chou-fleur en petits bouquets, cassez les extrémités des haricots verts, et lavez soigneusement ces légumes.

▶ Faites cuire séparément, à l'eau bouillante salée, les différents légumes en comptant 20 minutes pour les haricots verts et les navets coupés en quartiers, 25 à 30 minutes pour le chou-fleur et les carottes coupées en épaisses rondelles.

▶ Égouttez soigneusement les légumes cuits.

▶ Quand l'épaule d'agneau est cuite, dressez-la sur un grand plat de service, et entourez-la au mieux, en alternant, des différents légumes. Présentez la sauce en saucière, et servez immédiatement.

FAUX-FILET
A LA SAUCE MOUTARDE

Ingrédients pour 4 personnes :

600 g de faux-filet
8 échalotes
1 noix de beurre
2 cuillerées à soupe d'huile
15 cl de vin blanc
2 gousses d'ail
Thym
Laurier
1 cuillerée
à soupe de moutarde
Sel
Poivre

Cuisson : 25 minutes

FAUX-FILET
A LA SAUCE MOUTARDE

━━━━◆━━━━

▶ Pelez les échalotes, hachez-les, et mettez-les à blondir à la poêle, dans le mélange de beurre et d'huile.

▶ Quand le légume a pris couleur, mouillez avec le vin blanc, aromatisez des gousses d'ail pilées, d'un peu de thym et de laurier émiettés, salez légèrement, poivrez la viande, et laissez mijoter quelques minutes à découvert.

▶ Enduisez d'huile les tranches de faux-filet, poivrez la viande et mettez-la quelques minutes sous le gril (plus ou moins longtemps en fonction du degré de cuisson désiré). Puis disposez les steaks sur un plat de service.

▶ Incorporez à la sauce 1 bonne cuillerée à soupe de moutarde forte, laissez quelques instants en évitant l'ébullition, et nappez le faux-filet de cette sauce. Servez aussitôt.

FILET D'AGNEAU
AUX ÉPINARDS

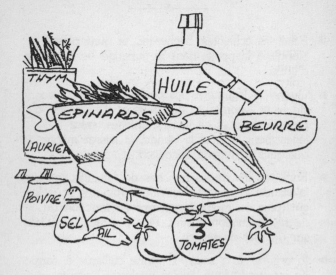

Ingrédients pour 6 personnes :

1 rôti de 1,5 kg dans le filet
2 gousses d'ail
2 cuillerées à soupe d'huile
Thym, laurier
1,5 kg d'épinards
3 belles tomates
50 g de beurre
Sel
poivre

Cuisson : 1 heure

FILET D'AGNEAU
AUX ÉPINARDS

---◆---

▶ Pelez les gousses d'ail, divisez-les en éclats, et
piquez-en le filet en divers endroits. Placez la
viande dans un plat allant au four, salez et
poivrez-la, enduisez-la d'un peu d'huile, et
aromatisez d'un peu de thym et de laurier
émiettés. Mettez à cuire 25 à 30 minutes à four
chaud. A mi-cuisson, versez 1 verre d'eau chaude
dans le fond du plat.

▶ Pendant ce temps, triez les épinards, éliminez les
feuilles jaunies ou flétries, coupez le plus gros des
queues, et lavez soigneusement le légume. Puis
mettez-le à cuire 5 minutes, après reprise de
l'ébullition, dans de l'eau salée, récipient découvert.

▶ Quand les épinards sont cuits, égouttez-les bien et
tenez-les au chaud dans une casserole sur feu
doux, avec une belle noix de beurre.

▶ Coupez les tomates par le milieu, salez-les, et
passez-les à la poêle sur feu vif quelques minutes,
dans une noix de beurre.

▶ Dressez le filet d'agneau sur un plat de service,
entourez la viande, en alternant, d'épinards et de
tomates, présentez la sauce en saucière, et servez
immédiatement.

FILETS D'ÉGLEFIN AUX CHAMPIGNONS

Ingrédients pour 4 personnes :

600 g de filets
350 g de champignons
1 belle tomate
1 noix de concentré de tomates
6 échalotes
1 citron
1 verre de vin blanc sec
1 noisette de beurre
2 cuil. à soupe d'huile
Persil
Sel
Poivre

cuisson : 30 minutes

FILETS D'ÉGLEFIN
AUX CHAMPIGNONS

———◆———

▶ Plongez la tomate quelques instants dans de l'eau bouillante, mondez-la et concassez-la grossièrement.

▶ Débarassez les champignons de leurs pieds terreux, lavez-les, séchez-les sur du papier absorbant, et détaillez-les en lamelles.

▶ Épluchez les échalotes et hachez-les grossièrement.

▶ Faites chauffer le mélange de beurre et d'huile dans une sauteuse, et mettez-y les champignons à revenir.

▶ Quand les champignons ont pris couleur, ajoutez les échalotes et la tomate concassée, laissez quelques instants en remuant le tout à la cuillère de bois, puis moullez avec le vin blanc. Délayez dans la sauce un peu de concentré de tomates, salez et poivrez.

▶ Ajoutez les filets de poisson au contenu de la sauteuse, couvrez le récipient, et laissez cuire doucement une dizaine de minutes.

▶ Quand les filets d'églefin sont cuits, dressez-les sur un plat de service chaud, et entourez-les de leur garniture de champignons.

▶ Arrosez le tout d'un jus de citron, ciselez un petit bouquet de persil, et servez immédiatement.

FILETS DE LIMANDE EN SAUCE TOMATE

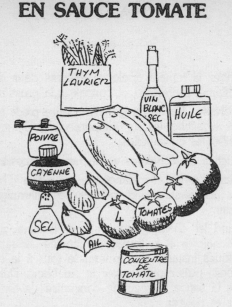

Ingrédients pour 4 personnes :

4 limandes
4 tomates
3 échalotes, 2 gousses d'ail
1 verre de vin blanc sec
1 cuillerée à café de concentré de tomates
1 cuillerée à soupe d'huile
Thym, laurier
1 pointe de cayenne, sel, poivre

Cuisson : 30 minutes

FILETS DE LIMANDE
EN SAUCE TOMATE

━━━━◆━━━━

▶ Faites lever les filets de limande par votre poissonnier. Réservez.

▶ Plongez les tomates dans de l'eau bouillante quelques instants, mondez-les, et concassez-les grossièrement.

▶ Pelez les échalotes, hachez-les.

▶ Faites chauffer l'huile dans une casserole, ajoutez les échalotes, puis la purée de tomates fraîches. Mouillez avec le verre de vin blanc, et incorporez l'ail pilé, un peu de thym et de laurier. Salez, poivrez avec un peu de poivre gris et une pointe de cayenne. Remuez bien le tout à la cuillère en bois, et laissez cuire, le récipient recouvert, une vingtaine de minutes. Lorsque la sauce à la tomate a cuit le temps convenable, couchez les filets de limande dans un plat allant au four, nappez-les de la sauce, et mettez au four moyen une dizaine de minutes.

Lorsque les poissons sont cuits, présentez-les dans le plat de cuisson et servez comme garniture du riz blanc.

FILET DE PORC
AUX TROIS LÉGUMES

Ingrédients pour 6 personnes :

1 rôti dans le filet de 1 kg
1 kg de choux de Bruxelles
2 gousses d'ail
1 noix de beurre
2 cuil. à soupe d'huile
4 carottes
3 oignons
1 bouquet garni
Sel
Poivre

Cuisson : 1 h 30 minutes

FILET DE PORC
AUX TROIS LÉGUMES

◆

▶ Faites chauffer le mélange de beurre et d'huile dans une cocotte, et mettez-y à dorer le rôti de porc après l'avoir salé, poivré, et piqué de gousses d'ail.

▶ Lavez les choux de Bruxelles, ôtez le trognon et les feuilles jaunies ou flétries, et mettez les légumes à blanchir 10 minutes à l'eau bouillante salée. Égouttez et réservez.

▶ Quand le rôti a pris couleur sur toutes ses faces, sortez-le de la cocotte et jetez-y les carottes et oignons coupés en rondelles. laissez les légumes blondir quelques minutes dans la graisse de cuisson de la viande. Salez et poivrez.

▶ Mouillez les légumes avec 2 bons verres d'eau chaude, aromatisez d'un bouquet garni, et laissez cuire à couvert 45 minutes.

▶ Passé ce temps, ajoutez les choux de Bruxelles à la viande, et prolongez la cuisson de 25 à 30 minutes sur feu modéré.

▶ Disposez le filet de porc sur un plat de service, entouré de sa garniture de légumes, présentez la sauce en saucière, et servez aussitôt.

FOIE DE VEAU
AUX COURGETTES

Ingrédients pour 4 personnes :

4 tranches de foie
1 kg de courgettes
3 échalotes
3 gousses d'ail
1 citron
1 noisette de beurre
1 cuil. à soupe d'huile
Quelques brins de ciboulette
1 petit bouquet de persil
Thym
Laurier
Sel, poivre

cuisson : 30 minutes env.

FOIE DE VEAU
AUX COURGETTES

▶ Faites chauffer dans une sauteuse le mélange de beurre et d'huile, et mettez-y à dorer les tranches de foie de veau, après les avoir salées et poivrées. Laissez-les cuire 5 minutes sur chaque face.

▶ Pendant ce temps, épluchez les courgettes à l'aide d'un couteau économe, et détaillez-les en fines rondelles.

▶ Quand les tranches de foie ont pris couleur, ôtez-les de la sauteuse et réservez-les au chaud. Jetez les rondelles de courgettes dans la graisse de cuisson, ajoutez les échalotes hachées, les gousses d'ail pilées, un peu de thym et de laurier émietté. Arrosez avec le jus d'un beau citron, salez et poivrez, et laissez cuire 20 à 25 minutes, récipient couvert.

▶ Passé ce temps, disposez les tranches de foie sur un plat de service chaud, et entourez la viande de la garniture de courgettes. Hachez sur le tout un peu de persil et de ciboulette et servez aussitôt.

JAMBON AUX LÉGUMES PRIMEURS

Ingrédients pour 4 personnes :

4 tranches de jambon
500 g de carottes nouvelles
100 g d'oignons blancs
2 laitues
1 kg de petits pois frais
250 g de champignons
6 petits navets
1 cuil. à soupe d'huile
Persil
Cerfeuil
Sel, Poivre

cuisson : 40 minutes

JAMBON AUX LÉGUMES PRIMEURS

► Grattez les carottes et navets et lavez-les. Fendez les carottes en quatre, et coupez les navets en quartiers.

► Débarrassez les laitues des feuilles flétries, coupez les trognons et lavez les salades à plusieurs eaux. Ne conservez que les cœurs et les belles feuilles.

► Otez le pied terreux des champignons, et passez-les rapidement sous l'eau courante. Séchez-les à l'aide de papier absorbant avant de les détailler en lamelles.

► Écossez les petits pois, et épluchez les petits oignons.

► Faites chauffer un peu d'huile dans une cocotte, et mettez-y revenir le jambon coupé en lanières, les oignons, les champignons, et les carottes.

► Lorsque la viande et les légumes ont pris couleur, mouillez d'un verre d'eau puis ajoutez les navets, les petits pois, et la salade. Salez, poivrez, et laissez cuire à couvert à feu doux une bonne demi-heure.

► Servez dans un plat de service creux après avoir saupoudré tout d'un hachis de cerfeuil et de persil.

JAMBONNEAU AUX ENDIVES

Ingrédients pour 4 personnes :

1/2 jambonneau
1 kg d'endives
1 citron
2 cuillerées à café de moutarde
2 échalotes
1 gousse d'ail
2 noisettes de beurre
2 cuillerées à soupe d'huile
Laurier
Estragon
Sel
Poivre

cuisson : *30 minutes env.*

JAMBONNEAU AUX ENDIVES

◆

- ▶ Éliminez, si nécessaire, les feuilles jaunies ou flétries des endives, lavez-les à l'eau courante, et mettez-les à cuire 15 minutes à l'eau bouillante salée.

- ▶ Pendant ce temps, détaillez le jambonneau en tranches, et faites-les revenir quelques minutes sur feu moyen à la poêle, dans un mélange d'un peu de beurre et d'huile.

- ▶ Quand le jambonneau a pris couleur, ôtez les tranches de la poêle et réservez. Jetez dans la graisse de cuisson les échalotes finement hachées, et laissez-les blondir quelques instants. Puis mouillez avec le jus d'un citron, et incorporez à la sauce la moutarde, une gousse d'ail pilée, un peu de laurier émietté et 2 à 3 feuilles d'estragon hachées. Réservez.

- ▶ Quand les endives ont cuit le temps nécessaire, égouttez-les, et séchez-les soigneusement en les pressant une à une délicatement dans un torchon pour éliminer le trop-plein d'eau. Puis coupez-les en deux dans le sens de la longueur.

- ▶ Disposez les tranches de jambonneau dans un grand plat allant au four, entourez la viande des demi-endives, et nappez le tout de la sauce au citron. Poivrez au moulin.

- ▶ Mettez à four très chaud une dizaine de minutes, et servez immédiatement dans le plat de cuisson.

ROSBIF A LA MOUSSE DE CAROTTES

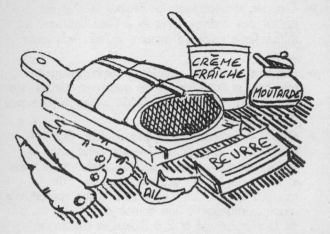

Ingrédients pour 6 personnes :

1 rosbif dans la tranche de 1 kg
1 kg de carottes
2 gousses d'ail
50 g de beurre
2 cuillerées à soupe de crème fraîche allégée
2 cuillerées à café de moutarde
Sel
Poivre

Cuisson : *30 minutes*

ROSBIF A LA MOUSSE
DE CAROTTES

◆

▶ Épluchez les gousses d'ail, divisez-les en éclats, et
piquez-en le rosbif en divers endroits. Puis frottez
la viande de poivre et de thym émietté, et
mettez-la dans un plat allant au four. Disposez
dessus quelques noisettes de beurre, et faites cuire
à four chaud une trentaine de minutes (un peu
plus ou un peu moins selon que vous désirez la
viande saignante ou à point).

▶ Pelez les carottes, coupez-les, et faites-les cuire
30 minutes à l'eau bouillante salée.

▶ Passé ce temps, égouttez les légumes, et
passez-les au mixer pour les réduire en mousse.
Ajoutez 1 noix de beurre, la crème fraîche, et
remuez soigneusement le tout dans une casserole,
sur feu très doux. laissez réduire pour épaissir la
mousse.

▶ Détaillez la viande en tranches très fines, salez-la,
et disposez-la sur un plat de service. Entourez-la
de la mousse de carottes.

▶ Déglacez le plat de cuisson du rosbif avec 1 bon
verre d'eau, salez légèrement, poivrez, incorporez
2 cuillerées à café de moutarde, et présentez en
saucière.

ROSBIF AUX CHOUX
DE BRUXELLES

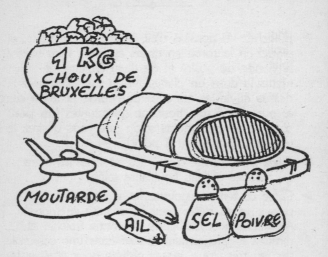

Ingrédients pour 6 personnes :

1 rosbif dans le faux-filet
1 kg de choux de Bruxelles
2 gousses d'ail
1 cuillerée à soupe de moutarde
Sel
Poivre

Cuisson : *30 minutes*

ROSBIF AUX CHOUX
DE BRUXELLES

◆

▶ Piquez le rosbif en divers endroits d'éclats d'ail,
frottez la viande au poivre, disposez-la dans un
plat allant au four, et mettez à cuire environ
30 minutes à four très chaud. Déglacez le plat
d'un bon verre d'eau chaude en fin de cuisson.

▶ Retaillez le trognon des petits choux, éliminez les
feuilles flétries, et mettez les légumes à cuire
15 minutes à l'eau bouillante salée, récipient
découvert.

▶ Quand les choux de Bruxelles ont cuit le temps
indiqué, égouttez-les soigneusement, et ajoutez-les
à la viande.

▶ Découpez le rosbif et disposez au mieux les
tranches sur un plat de service, entourez la viande
de sa garniture de légumes, salez la sauce,
incorporez 1 cuillerée à soupe de moutarde forte,
et nappez le rosbif de cette sauce. Servez aussitôt.

STEAKS DE LOTTE MAITRE JACQUES

Ingrédients pour 4 personnes :

4 tranches de lotte
1/2 verre de vinaigre
1 carotte
1 oignon
250 g de champignons
4 belles tomates
1 noix de beurre
Thym
Laurier
1 pincée d'estragon
Sel
Poivre

cuisson : 30 minutes env.

STEAKS DE LOTTE
MAITRE JACQUES

◆

- ▶ Préparez un court-bouillon dans une grande casserole avec 1 litre d'eau, le vinaigre, la carotte et l'oignon coupés en fines rondelles, un peu de thym et de laurier. Salez, poivrez et laissez frémir le liquide 15 minutes environ.

- ▶ Pendant ce temps, débarrassez les champignons de leur pied terreux, lavez-les à l'eau courante, séchez-les soigneusement sur du papier absorbant. Puis détaillez-les en fines lamelles et faites-les revenir dans une sauteuse, avec 1 noix de beurre.

- ▶ Plongez les tomates dans de l'eau bouillante quelques instants, mondez-les, et concassez-les grossièrement.

- ▶ Lavez les tranches de lotte à l'eau courante, et plongez-les dans le court bouillon. Laissez pocher le poisson une dizaine de minutes sur feu doux.

- ▶ Quand les champignons sont bien dorés, ajoutez la purée de tomates fraîches, 1 bonne pincée d'estragon, salez, poivrez, et laissez cuire quelques minutes à découvert, sur feu moyen.

- ▶ Dressez les steaks de lotte sur un plat de service chaud, nappez-les de la sauce, et servez immédiatement.

STEAK TARTARE

Ingrédients pour 4 personnes :

600 g de viande crue hachée
4 jaunes d'œufs
4 oignons moyens
1 petit pot de câpres
4 cuillerées de moutarde forte
Huile
Vinaigre
Sauce ketchup et Worcestershire
Persil
Sel
Poivre au moulin

Pas de cuisson

STEAK TARTARE

◆

Pour la présentation :

▶ Répartissez également la viande hachée dans 4 assiettes.

▶ Cassez les œufs, en séparant les blancs des jaunes. Conservez les jaunes dans une demi-coquille d'œuf que vous placerez au milieu de la boulette légèrement aplatie de viande hachée.

▶ Hachez le persil et les oignons.

▶ Disposez régulièrement autour de la viande le persil, les câpres, les oignons.

▶ Présentez à vos convives les assiettes garnies et disposez sur la table le moulin à poivre, le sel, la moutarde, l'huile, le vinaigre et les sauces ketchup et Worcestershire.

Pour la préparation :

▶ Mélangez le jaune d'œuf à la viande, salez, poivrez.

▶ Ajoutez les câpres, la moutarde, le persil, l'oignon haché, très peu d'huile, un filet de vinaigre. Un peu de sauce ketchup ou de Worcestershire (ou un peu des deux) selon vos goûts.

▶ Goûtez et rectifiez si besoin l'assaisonnement.

TRUITES PERSILLÉES

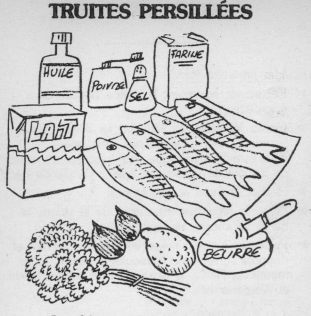

Ingrédients pour 4 personnes :

4 truites
100 g de beurre
2 cuillerées à soupe d'huile
1 verre de lait
1 citron, 50 g de farine
2 échalotes
1 bouquet de persil
Sel, poivre

Cuisson : 10 minutes

TRUITES PERSILLÉES

▶ Videz les truites, lavez-les soigneusement, et faites-les sécher sur du papier absorbant.

▶ Versez le lait dans une assiette creuse, et étalez la farine dans une autre assiette.

▶ Salez et poivrez l'intérieur des poissons, trempez-les dans le lait, puis roulez-les dans la farine.

▶ Mettez à chauffer dans une grande poêle 1 noix de beurre et l'huile, et couchez-y les truites. Laissez les poissons frire 4 à 5 minutes de chaque côté.

▶ Passé ce temps, disposez au mieux les truites sur un plat de service, arrosez-les du jus d'un citron, et nappez-les de 80 g de beurre fondu.

▶ Hachez finement les échalotes avec un petit bouquet de persil, parsemez-en les poissons, et servez immédiatement.

ANANAS EN SURPRISE

Ingrédients pour 6 personnes :

1 ananas
2 poires
1 grappe de raisin noir
6 clémentines
1 verre à liqueur de rhum

ANANAS EN SURPRISE

◆

▶ Découpez soigneusement la calotte de l'ananas, et réservez cette dernière, avec ses feuilles.

▶ A l'aide d'un couteau pointu bien aiguisé, évidez le fruit comme suit : plantez la lame dans la pulpe à 1 bon centimètre du bord puis, avec un mouvement de va-et-vient, suivez le contour de l'ananas. Coupez la pulpe ainsi dégagée en petit dés, après avoir éliminé la partie fibreuse du centre de l'ananas.

▶ Pelez les poires, coupez-les en quartiers, ôtez le cœur et les pépins. Détaillez la chair en morceaux.

▶ Lavez la grappe de raisin, séchez-la, et égrenez-la.

▶ Épluchez les clémentines, et separez-les en quartiers.

▶ Mettez tous ces fruits dans une terrine, arrosez-les d'un peu de rhum, et mélangez-les délicatement.

▶ Remplissez l'ananas de cette salade de fruits, replacez la calotte avec les feuilles, et placez le fruit au réfrigérateur 30 minutes environ, avant de servir.

BROCHETTES AMIRAL

Ingrédients pour 6 personnes :

2 bananes
2 oranges
1 ananas
2 pommes
1 citron
1 cuil. à café de cannelle
1 verre à liqueur de curaçao
1 sachet de sucre vanillé

cuisson : 5 à 6 minutes

BROCHETTES AMIRAL

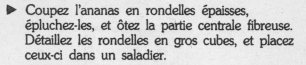

▶ Coupez l'ananas en rondelles épaisses,
épluchez-les, et ôtez la partie centrale fibreuse.
Détaillez les rondelles en gros cubes, et placez
ceux-ci dans un saladier.

▶ Épluchez les bananes, coupez-les en rondelles
aussi hautes que larges, et mettez-les avec l'ananas.

▶ Épluchez les oranges, et séparez-les en quartiers.
Épluchez les pommes, coupez-les en quatre,
enlevez le cœur et les pépins.

▶ Ajoutez ces morceaux de fruits à ceux du saladier.

▶ Pressez le jus d'un citron, et versez-le sur les fruits.

▶ Arrosez avec le curaçao, mettez la cuillerée à café
de cannelle.

▶ Remuez délicatement le tout et laissez macérer
1/2 heure environ.

▶ Garnissez 6 brochettes de ces fruits, en les
alternant, et saupoudrez-les avec le sucre vanillé.

▶ Placez les brochettes sur un barbecue aux braises
bien rouges, et retournez-les au bout de
3 minutes. Lorsque le sucre est caramélisé, retirez
du feu et servez immédiatement.

CITRONS GIVRÉS

Ingrédients pour 6 personnes :

7 beaux citrons
200 g de sucre en poudre
2 blancs d'œufs

cuisson : simple ébullition

9 h au réfrigérateur

CITRONS GIVRÉS

———◆———

▶ Brossez soigneusement les citrons à l'eau chaude, et séchez-les.

▶ Découpez un chapeau sur 6 citrons, côté queue, et évidez les fruits de leur pulpe à l'aide d'une petite cuillère, en ayant soin de ne pas endommager les peaux. Réservez ces dernières au réfrigérateur, ainsi que les chapeaux.

▶ Râpez finement le zeste du septième fruit, et pressez la pulpe de tous les fruits pour en extraire le jus.

▶ Mettez 1/4 de litre d'eau, 200 g de sucre, et le zeste râpé dans une casserole. Portez à ébullition, retirez le récipient du feu au premier bouillon, et laissez refroidir.

▶ Incorporez le jus des citrons à la préparation précédente.

▶ Versez le mélange dans un moule en aluminium, et placez-le dans le compartiment à glaçons du réfrigérateur réglé au maximum de froid pendant 4 heures.

▶ Passé ce temps, cassez les œufs, séparez les blancs des jaunes, et montez-les en neige très ferme jusqu'à ce qu'ils collent parfaitement au fouet.

▶ Sortez le moule du réfrigérateur et incorporez délicatement les blancs au contenu du moule. Travaillez bien le tout pour obtenir une préparation homogène.

▶ Sortez les citrons évidés du réfrigérateur, et remplissez-les de cette préparation. Recouvrez les fruits des chapeaux et replacez le tout dans le bac à glaçons. Laissez encore 5 heures à glacer avant de consommer.

CRÈME AUX POIRES

Ingrédients pour 4 personnes :

4 poires
1/4 litre de lait écrémé
60 g de sucre en poudre
2 œufs entiers + 2 jaunes

cuisson : 50 minutes

CRÈME AUX POIRES

◆

▶ Pelez les poires, coupez-les en quartiers, ôtez le cœur et les pépins. Puis détaillez chaque quartier en fines lamelles ou en petits morceaux.

▶ Mettez les fruits dans une casserole avec 60 g de sucre, 1/2 verre d'eau, et laissez cuire sur feu doux 20 minutes environ.

▶ Réduisez cette compote en fine purée au moulin à légumes, grille fine ou mieux, au mixer.

▶ Mettez dans une terrine 2 œufs entiers et 2 jaunes, battez le tout comme pour une omelette, et incorporez aux œufs la purée de poires.

▶ Faites chauffer le lait, et versez-le chaud sur la préparation. Remuez bien le tout.

▶ Beurrez très légèrement des petits moules individuels, et remplissez-les de crème. Placez ces moules dans un plat allant au four, versez de l'eau chaude dans le plat (au 3/4 environ de la hauteur des moules) et mettez le tout à four doux pendant 25 à 30 minutes.

▶ Passé ce temps, laissez refroidir complètement la crème, avant de démouler sur des assiettes individuelles.

DÉLICE GLACÉ
AUX POMMES

Ingrédients pour 4 à 5 personnes :

5 pommes
1/4 de litre de lait écrémé
50 g de sucre semoule
1 pincée de sucre vanillé
6 morceaux de sucre
2 œufs entiers
2 jaunes d'œufs
1 noisette de beurre
1/2 citron
1 pincée de cannelle

cuisson : 1 h env.

DÉLICE GLACÉ
AUX POMMES

◆

▶ Épluchez les pommes, coupez-les en quatre, ôtez le cœur et les pépins, et détaillez chaque quartier en lamelles.

▶ Mettez les fruits dans une casserole avec le sucre semoule, 1/2 verre d'eau, le sucre vanillé et la cannelle, et laissez cuire 20 minutes sur feux doux.

▶ Passé ce temps, passez cette préparation au moulin à légumes ou mieux, au mixer.

▶ Cassez dans un saladier 2 œufs entiers. Ajoutez-y 2 jaunes et battez le tout comme pour une omelette. Incorporez alors la purée de pommes.

▶ Mettez le lait dans une casserole, portez à ébullition, et versez-le sur la préparation précédente. Remuez bien le tout.

▶ Beurrez légèrement un moule, et garnissez-le du mélange. Placez ce moule dans un récipient allant au four, rempli d'eau chaude aux trois-quarts de la hauteur du moule, et mettez à cuire au bain-marie à four doux 40 minutes.

▶ Quand la crème est cuite, laissez-la refroidir complètement, et mettez-la à glacer 1 heure au réfrigérateur.

▶ Quelques instants avant de servir, confectionnez un caramel avec 6 morceaux de sucre, le jus de citron et 3 cuillerées à soupe d'eau. Démoulez la crème sur un plat de service, arrosez-la de caramel au citron, et servez aussitôt.

FLAN A L'ORANGE

Ingrédients pour 6 personnes :

2 oranges
75 cl de lait écrémé
6 œufs
150 g de sucre semoule
1 gousse de vanille
1 pincée de sel

cuisson : 45 minutes

FLAN A L'ORANGE

◆

▶ Versez le lait dans une casserole, ajoutez la gousse de vanille fendue, 1 pincée de sel et 1 zeste d'orange finement râpé. Portez à ébullition. Otez alors le récipient du feu, couvrez, et laissez infuser quelques instants la vanille et le zeste dans le lait.

▶ Cassez les œufs dans un saladier, ajoutez le sucre semoule, et remuez au fouet jusqu'à ce que le mélange blanchisse. Versez dessus le lait bouillant après avoir retiré la gousse de vanille, en fouettant constamment la préparation. Garnissez-en un moule à hauts bords, genre moule à charlotte.

▶ Disposez le moule dans un récipient allant au four, rempli d'eau chaude, pour réaliser une cuisson au bain-marie, et mettez à cuire à four doux 45 minutes. Passé ce temps, assurez-vous de la bonne cuisson du flan en introduisant la lame d'un couteau pointu. Celle-ci doit ressortir parfaitement sèche si le flan est cuit à point.

▶ Laissez refroidir le flan dans son moule, puis démoulez-le sur un plat de service. Décorez-le avec des quartiers d'orange et servir aussitôt.

FRUITS D'AUTOMNE AU YAOURT

Ingrédients pour 4 à 5 personnes :

2 poires
1 pomme
1 grappe de raisin
50 g de raisins secs
1 orange
4 yaourts sans M.G.
3 cuil. à soupe de sucre
5 cl de lait

cuisson : *15 minutes env.*

FRUITS D'AUTOMNE
AU YAOURT

◆

▶ Pelez les poires et la pomme, coupez-les en quatre, et éliminez le cœur et les pépins. Puis détaillez les quartiers en fines lamelles.

▶ Épluchez l'orange, séparez-en les quartiers, et coupez chacun d'eux en deux ou trois morceaux.

▶ Confectionnez un léger sirop dans une casserole avec 2 verres d'eau et le sucre. Faites bouillir une dizaine de minutes.

▶ Passé ce temps, plongez les morceaux de fruits dans le sirop, et laissez cuire quelques minutes sur feu doux, en remuant de temps en temps à la cuillère de bois. Puis laissez refroidir.

▶ Versez les yaourts dans un saladier, ajoutez une goutte de lait, et fouettez jusqu'à ce que le mélange devienne onctueux.

▶ Quand les fruits au sirop sont froids, ajoutez-les aux yaourts.

▶ Joignez-y les raisins secs et les grains de raisin frais, et placez le saladier quelques temps au réfrigérateur avant de servir.

FRUITS GLACÉS
AU FROMAGE BLANC

Ingrédients pour 4 personnes :

2 pommes
2 oranges
400 g de fraises
1 pot de fromage blanc maigre
4 cuillerées à soupe rases de sucre en poudre
4 cuillerées à café de rhum
50 g de raisins secs

1 h 1/2 dans le réfrigérateur

FRUITS GLACÉS
AU FROMAGE BLANC

▶ Pelez, coupez les pommes en dés.

▶ Pelez les oranges, séparez les quartiers et coupez ceux-ci en deux.

▶ Lavez soigneusement les fraises à grande eau.

▶ Battez à l'aide d'un fouet, dans un saladier, le fromage blanc maigre et le sucre, jusqu'à ce que le mélange soit bien crémeux. Ajoutez les raisins secs, le rhum.

▶ Dans quatre grands verres, ou quatre coupes, disposez au fond une couche de fruits, pommes, fraises, oranges, une couche de fromage blanc, et alternez en terminant par le fromage.

▶ Mettez au réfrigérateur pendant 1 h 30 avant de servir.

MACÉDOINE DE FRUITS FRAIS

Ingrédients pour 8 à 10 personnes :

2 pommes
2 poires
2 oranges
1 citron
150 g de cerises
1 grappe de raisins blancs
1 grappe de raisins noirs
2 pêches
2 verres à liqueur de kirsch
1 cuil. à soupe de sucre

1 heure au réfrigérateur

MACÉDOINE DE FRUITS FRAIS

---◆---

▶ Épluchez les pommes, coupez-les en quatre, et débarrassez les quartiers du cœur et des pépins. Détaillez ces quartiers en lamelles dans un compotier.

▶ Épluchez les poires et procédez de même.

▶ Pelez les oranges soigneusement, de façon à éliminer complètement la peau blanche qui entoure les quartiers. Coupez les fruits en rondelles, et les rondelles en quatre.

▶ Pelez le citron et détaillez-le en très fines rondelles.

▶ Lavez les cerises, équeutez-les, et dénoyautez-les. Lavez les grappes de raisons, et égrenez-les dans le saladier.

▶ Faites chauffer une casserole d'eau, et plongez les pêches quelques instants dans l'eau bouillante. Mondez-les, et après avoir ôté le noyau, coupez la pulpe en dés.

▶ Versez sur tous ces fruits, les 2 verres à liqueur de kirsch, saupoudrez de la cuillère de sucre et mêlez délicatement le tout.

▶ Placez le compotier dans la partie haute du réfrigérateur pendant 1 heure, avant de servir.

MELON EN SURPRISE
AU FROMAGE BLANC

Ingrédients pour 4 personnes :

2 melons moyens
2 pêches
1 poignée de cerises
100 g de fraises
1 pot de fromage blanc maigre
2 cuillerées à café de sucre

2 heures au réfrigérateur

MELON EN SURPRISE AU FROMAGE BLANC

▶ Essuyez les melons avec un linge humide et coupez-les par le milieu.

▶ A l'aide d'une cuillère, ôtez la partie centrale qui contient les pépins.

▶ A l'aide de cette même cuillère, retirez la chair des melons, en découpant des cuillerées régulières. Veillez à ne pas creuser trop profond afin de ne pas abîmer la peau.

▶ Pelez les pêches délicatement et découpez-les en petits dés.

▶ Lavez les cerises et dénoyautez-les.

▶ Lavez soigneusement les fraises. Equeutez-les, et coupez-les en deux dans le sens de la longueur.

▶ Dans un petit saladier, versez le fromage blanc, ajoutez le sucre et fouettez énergiquement le tout pour obtenir une crème onctueuse.

▶ Dans chaque demi-melon, versez un peu de fromage blanc, puis garnissez avec les morceaux de melon, les fraises et les cerises. Versez sur les fruits, en répartissant, le restant du fromage blanc sucré.

▶ Placez les demi-melons dans la partie haute du réfrigérateur pendant 2 heures, avant de servir.

MOUSSE AUX FRAISES

Ingrédients pour 4 personnes :

1 kg de fraises
100 g de sucre
1 cuillerée bombée de Maïzéna
1 petit verre à liqueur de kirsch

Cuisson : 15 minutes

MOUSSE AUX FRAISES

▶ Lavez 1 kg de fraises, égouttez-les, retirez-les queues et mettez-les dans une casserole avec 3 décilitres d'eau. Posez-la sur feu doux, portez à ébullition, et laissez frémir 10 minutes.

▶ Passez ensuite le contenu de la casserole dans une passoire, au-dessus d'un saladier, et écrasez les fruits avec une petite louche de façon à ne recueillir que la pulpe. Remettez le contenu du saladier dans la casserole sur feu doux, incorporez-y 100 g de sucre, et portez à ébullition afin que le sucre soit bien fondu.

▶ Délayez dans un bol 1 cuillerée à soupe de Maïzéna avec 3 cuillerées à soupe d'eau froide et, lorsque la purée de fraises arrive à ébullition, versez-y la Maïzéna délayée et mélangez vivement au fouet. Laissez cuire 4 ou 5 minutes sur feu doux, sans cesser de fouetter. Aromatisez avec le kirsch.

▶ Répartissez la purée de fraises dans des coupes individuelles, laissez refroidir, et placez-les au réfrigérateur 2 ou 3 heures avant de servir.

MOUSSE GLACÉE
A L'ABRICOT

Ingrédients pour 4 personnes :

750 g d'abricots
50 g de sucre semoule
1 verre à liqueur de kirsch
1/2 citron
Quelques morceaux d'angélique

cuisson : 35 minutes
3 h au réfrigérateur

MOUSSE GLACÉE A L'ABRICOT

───────◆───────

▶ Lavez soigneusement les abricots, coupez-les en deux, retirez les noyaux, et détaillez chaque demi-abricot en petits morceaux.

▶ Mettez les fruits dans une casserole avec 1 verre d'eau, le kirsch, le sucre semoule, et le jus d'un demi-citron. Laissez cuire à feux doux une trentaine de minutes en remuant de temps en temps à la cuillère de bois.

▶ Quand les abricots sont en compote, ôtez le récipient du feu, et passez la préparation au mixer pour la réduire en mousse.

▶ Laissez tiédir.

▶ Répartissez au mieux la mousse de fruits dans des coupes individuelles, surmontez chacune d'elles d'un petit morceau d'angélique confite, et placez les coupes 3 heures à glacer dans la partie haute du réfrigérateur, avant de servir.

PAMPLEMOUSSES AU FOUR

Ingrédients pour 6 personnes :

3 pamplemousses
2 oranges
6 cuillerées à café de sucre
6 petits fruits confits

cuisson : 20 minutes

PAMPLEMOUSSES AU FOUR

▶ Pressez les deux oranges pour en extraire le jus.

▶ Coupez les pamplemousses en deux. Avec un petit couteau pointu, détachez la chair de la pulpe. Otez les pépins.

▶ Replacez les moitiés de fruits dans leur peau.

▶ Préchauffez quelques minutes le four.

▶ Rangez les fruits dans un plat allant au four et arrosez-les de jus d'orange. Saupoudrez-les de sucre en poudre à raison d'une cuillerée à café par demi-pamplemousse.

▶ Mettez le plat au four et laissez cuire pendant 10 minutes environ, 5 minutes avant de retirer les pamplemousses du four, allumez le gril afin que le sucre déposé sur les fruits se caramélise.

▶ Servez les pamplemousses chauds sortant du four, en déposant, à titre décoratif, un petit fruit confit en leur centre.

POMMES AU VIN
A LA CANNELLE

Ingrédients pour 4 personnes :

4 pommes
1/2 bouteille de vin rouge
1 cuillerée à café de cannelle
50 g de sucre semoule
1 pincée de sucre vanillé
1 zeste de citron

cuisson : 15 minutes

POMMES AU VIN
A LA CANNELLE

---◆---

▶ Épluchez les pommes, coupez-les en quatre, ôtez le cœur et les pépins, et détaillez chaque quartier en lamelles assez épaisses.

▶ Mettez les fruits dans une casserole, ajoutez le vin rouge, le sucre semoule, et aromatisez d'un peu de sucre vanillé, d'une cuillerée à café de cannelle, et d'un zeste de citron (non traité au diphényl). Laissez cuire, récipient découvert, environ 15 minutes à feu doux.

▶ Répartissez les pommes au vin dans des coupes individuelles, et servez, au choix, chaud, tiède, ou glacé.

SALADE EXOTIQUE

Ingrédients pour 6 personnes :

2 bananes
1 petit ananas
1 mangue
1 citron vert
1 sachet de sucre vanillé
100 g de sucre roux
1 petit pot de crème fraîche allégée
1/2 verre de rhum

1 heure au réfrigérateur

SALADE EXOTIQUE

▶ Mettre le sucre roux, le sucre vanillé, le rhum, dans une petite casserole avec 1 verre d'eau, et mettez sur feu moyen quelques minutes pour confectionner un sirop. Puis laissez refroidir.

▶ Pendant ce temps, fendez l'ananas en quatre, épluchez-le, ôtez la partie centrale fibreuse, et détaillez chaque quartier en fines lamelles. Épluchez la mangue, retirez le noyau central, et coupez la pulpe en petits dés.

▶ Pelez les bananes, et coupez-les en rondelles. Placez tous ces fruits dans un saladier, arrosez-les avec le jus d'un citron vert, puis avec le sirop. Incorporez le contenu d'un petit pot de crème fraîche, et remuez soigneusement le tout en procédant délicatement pour ne pas abîmer les morceaux de fruits.

▶ Placez le saladier au réfrigérateur, et laissez glacer le dessert environ 1 heure avant de servir.

SALADE D'HIVER

Ingrédients pour 6 personnes :

3 pommes
3 oranges
1 banane
1/2 citron
1 verre à liqueur de rhum
1 cuil. à soupe de sucre en poudre
1 pincée de sucre vanillé

SALADE D'HIVER

◆

▶ Épluchez les pommes, ôtez le cœur et les pépins à l'aide d'un vide-pommes, coupez-les en tranches. Réservez les six tranches les plus belles, et détaillez les autres en quartiers.

▶ Brossez soigneusement une orange à l'eau chaude, essuyez-la, et prélevez 6 belles tranches fines dans le milieu. Pressez le reste pour en extraire le jus.

▶ Épluchez deux oranges, séparez-les en quartiers, et coupez en deux chacun d'eux.

▶ Épluchez la banane, et détaillez-la en fines rondelles.

▶ Garnissez les parois d'un saladier (ou d'un compotier) en verre avec les tranches d'oranges et de pommes, en alternant. Placez au centre les quartiers de pommes, d'oranges, les rondelles de banane.

▶ Mettez dans un bol 1 cuillerée à soupe de sucre, 1 pincée de sucre vanillé, le jus d'orange, le jus d'un demi-citron, un peu de rhum.

▶ Remuez à la cuillère pour bien dissoudre le sucre dans le liquide, et arrosez la salade de fruits de cette préparation.

▶ Mettez la salade 20 à 30 minutes dans la partie haute du réfrigérateur, avant de servir.

SALADE DE RIZ AUX FRUITS D'AUTOMNE

Ingrédients pour 5 à 6 personnes :

150 g de riz
2 pommes, 2 poires
1/2 litre de lait écrémé
Quelques noix
1 verre à liqueur de rhum
1 gousse de vanille
60 g de sucre semoule
50 g de raisins secs
1 pincée de sel

Cuisson : 20 minutes

SALADE DE RIZ AUX FRUITS D'AUTOMNE

▶ Versez le riz dans une casserole, et mouillez-le à hauteur d'eau froide. Portez à ébullition et retirez aussitôt du feu. Égouttez.

▶ Mettez le lait dans cette même casserole, ajoutez la gousse de vanille fendue, le sucre semoule, le rhum, et 1 pincée de sel. Faites bouillir.

▶ Plongez le riz dans le lait bouillant, après avoir ôté la gousse de vanille, et laissez cuire doucement 15 à 20 minutes, le temps pour le riz d'absorber entièrement le liquide.

▶ Pendant ce temps, épluchez les pommes et les poires, coupez-les en quatre, débarrassez-les du cœur et des pépins, puis détaillez chaque quartier en lamelles.

▶ Cassez les noix et émiettez grossièrement les cerneaux.

▶ Quand le riz est cuit, ôtez le récipient du feu et laissez refroidir complètement.

▶ Versez le riz dans un saladier, ajoutez les lamelles de pommes et poires, les noix, les raisins secs. Mélangez soigneusement le tout.

▶ Placez le saladier une trentaine de minutes au réfrigérateur, avant de servir.

SORBET AUX CERISES

Ingrédients pour 4 personnes :

250 g de sucre
500 g de cerises
1 zeste de citron
2 belles pêches

cuisson : *simple ébullition*

SORBET AUX CERISES

———◆———

- ▶ Lavez soigneusement les cerises, équeutez-les, et séchez-les dans un torchon.
- ▶ Dénoyautez les cerises, de préférence au-dessus d'un récipient afin de recueillir le jus qui pourrait goutter lors de cette opération. Réservez quelques fruits pour la décoration du sorbet.
- ▶ Prélevez tout le zeste d'un citron (non traité au diphényl) et lavez-le.
- ▶ Dans une casserole, versez 1/4 de litre d'eau, les 250 g de sucre en poudre, et le zeste de citron. Mettez sur feu vif et retirez au premier bouillon. Otez le zeste.
- ▶ Plongez les cerises dénoyautées dans cette préparation. Remuez bien le tout et laissez tiédir. Passez ensuite le mélange au mixer.
- ▶ Mettez à glacer en sorbetière.
- ▶ Lorsque la préparation de la sorbetière est bien prise, épluchez soigneusement les pêches, coupez-les en deux, ôtez les noyaux.
- ▶ Placez chaque demi-pêche dans le fond des coupes à pied. Disposez dessus 4 demi-boules de sorbet découpées à l'aide d'une cuiller ronde et creuse. Décorez avec les cerises fraîches. Servez immédiatement.

Achevé d'imprimer en mai 1989
sur les presses de l'Imprimerie Bussière
à Saint-Amand (Cher)

N° d'impression : 8198.
Dépôt légal : juin 1989.